Gwahoddiad

I Harri, Rhys a Tomos

Ac i Elinor ... gan obeithio y byddi'n cysgu drwy'r nos cyn bo hir

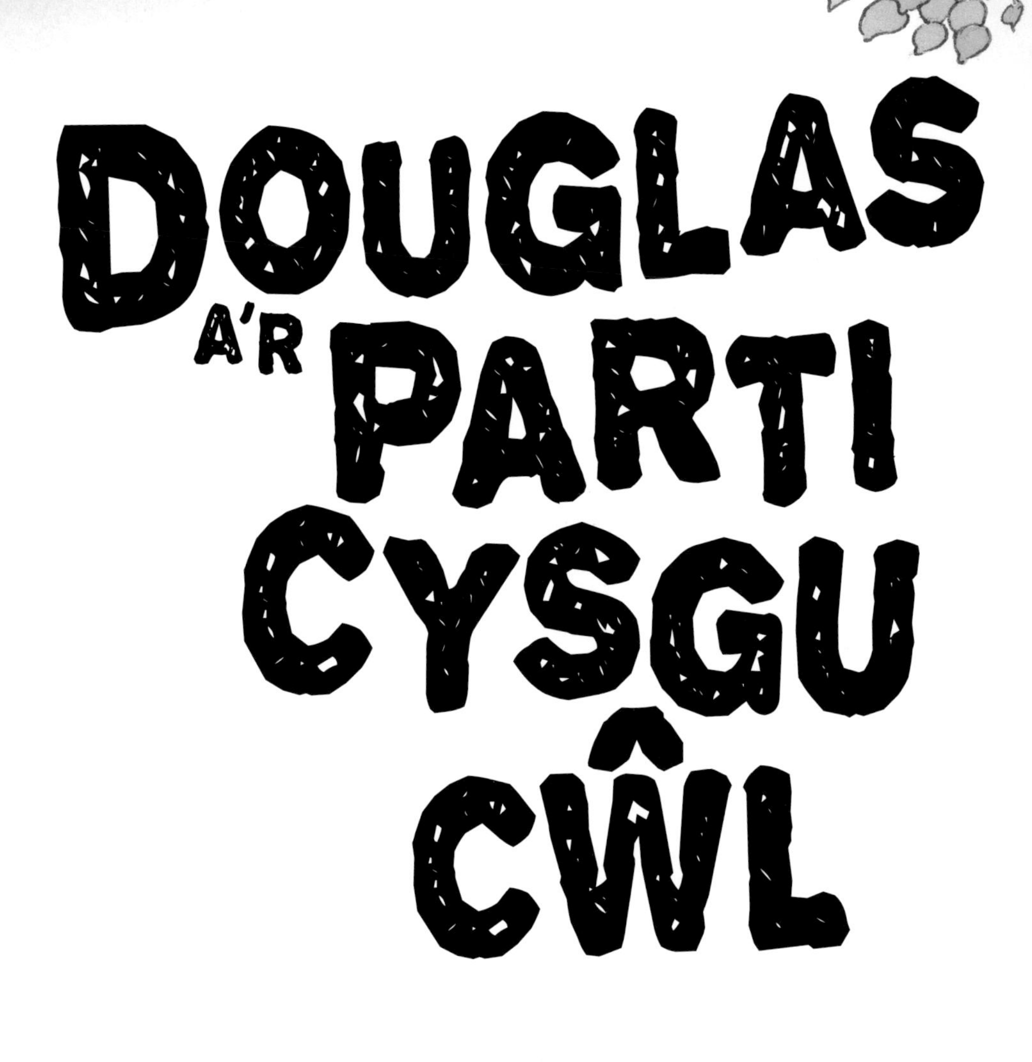

DAVID MELLING

ADDASIAD CYMRAEG GAN DAFYDD SAUNDERS JONES

Roedd Douglas yn pacio
er mwyn mynd i barti cysgu dros nos yn nhŷ Cwningen.
Roedd ganddo lawer o bethau, ond roedd digon o le yn
nhŷ Cwningen. Paciodd Douglas ei byjamas gwenyn,
ei frwsh dannedd a'i lyfr stori.

Roedd wedi cyffroi'n lân!

Douglas was packing all his things
for Rabbit's sleepover. He had a lot of stuff
but there was plenty of room at Rabbit's.
He packed his honeybee pyjamas,
a toothbrush and a storybook.

He was very excited!

'Gobeithio bydd Cwningen yn darllen stori cyn mynd i gysgu,' meddyliodd Douglas wrth gerdded i mewn i'r goedwig. Roedd ei fag yn drwm ac yn llawn. I ddechrau, aeth Douglas yn sownd ... yna aeth ar goll!

'I hope Rabbit reads a bedtime story,' thought Douglas as he set off into the woods. His bag was very heavy with all his things. First he got stuck and then he got lost.

Dringodd Douglas i fyny’r goeden agosaf i weld lle roedd o.
Ond roedd y goeden a ddewisodd braidd yn denau ac yn ...

He climbed up the nearest tree to see where he was.
Only the tree he chose was quite thin and ...

... arbennig
... very
... arbennig
... very

... o simsan!
... bendy!

Snap!
Aw!

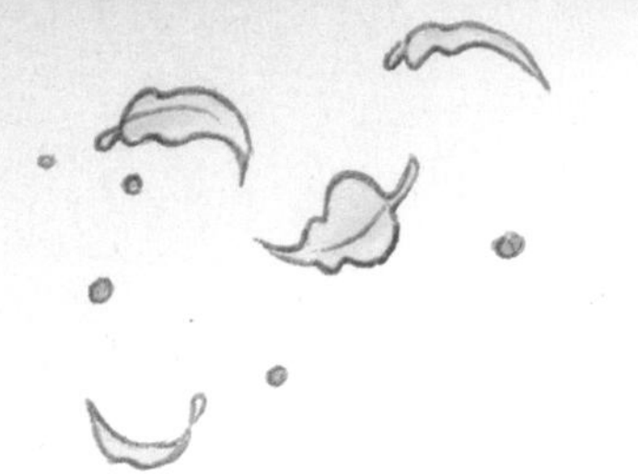

Disgynnodd Douglas i'r llawr – bron iawn ar ben Dafad Fach!

'Helô,' meddai Douglas. 'Dwi'n mynd i barti cysgu cŵl Cwningen, ond dwi ar goll.'

'Dwi'n gwybod y ffordd,' gwichiodd Dafad Fach.

Gwenodd Douglas.
'Pam na ddoi di hefyd?
Mae digon o le yn nhŷ Cwningen.'

Douglas crashed to the ground and nearly squashed Little Sheep!

'Hello,' said Douglas. 'I'm going to Rabbit's for a sleepover, but I'm lost.'

'I know the way,' Little Sheep squeaked.

Douglas smiled.
'Why don't you come along too?
There's plenty of room at Rabbit's.'

Dringodd Douglas o'r llwyn
a thynnu'r dail o'i gôt.

Douglas scrambled out of the bush
and brushed himself down.

'Dyna ryfedd,' meddyliodd.
'Mae fy mag yn teimlo'n drymach.'

'Funny,' he thought. 'My bag feels even heavier now.'

O'r diwedd, dyma gyrraedd tŷ Cwningen.
'Twwwwww-wit! Wnewch chi ddim ffitio!' hwtiodd Tylluan.

At last they arrived at Rabbit's house.
'Twooooo twit! You won't fit!' Owl hooted.

'Dim ond un ffrind bach sy gen i,'
meddai Douglas, 'ac mae digon
o le yn nhŷ Cwningen.'

'I only brought one little friend,'
said Douglas, 'and there's plenty
of room at Rabbit's.'

Tŷ
Cwningen

'Be amdanom ni?' brefodd y defaid.

'What about us?' cried the sheep.

Roedd Cwningen wrth ei bodd yn gweld pawb.
'Dwi wrth fy modd yn cael y defaid draw
i'r parti cysgu cŵl,' meddai dan chwerthin,
a dyma hi'n eu galw i'r tŷ fesul un.

Rabbit was very happy to see everyone.
'I love having sheep over for sleepovers,' she laughed,
and she waved them all into her house,
one by one by one.

'Mae dy ddrws ffrynt yn edrych yn gul,' brefodd Dafad Fach.
'Nonsens!' meddai Cwningen. 'Mae yna ddigon o le.'

'Your front door does look small,' baaed Little Sheep.
'Nonsense!' said Rabbit. 'There's plenty of room.'

Druan o Douglas.

Poor Douglas.

Dyma nhw'n gwthio ...

They pushed …

... a thynnu.

… and they pulled.

'Dwi ddim yn meddwl bod hyn yn gweithio,' meddai Douglas.

'Aros funud!' gwaeddodd Cwningen, gan glicio'i bysedd.

'Mi wna i gloddio twll mwy o faint.'

'I don't think this is working,' Douglas said.

'Wait a minute!' cried Rabbit, snapping her fingers. 'I'll dig a bigger hole.'

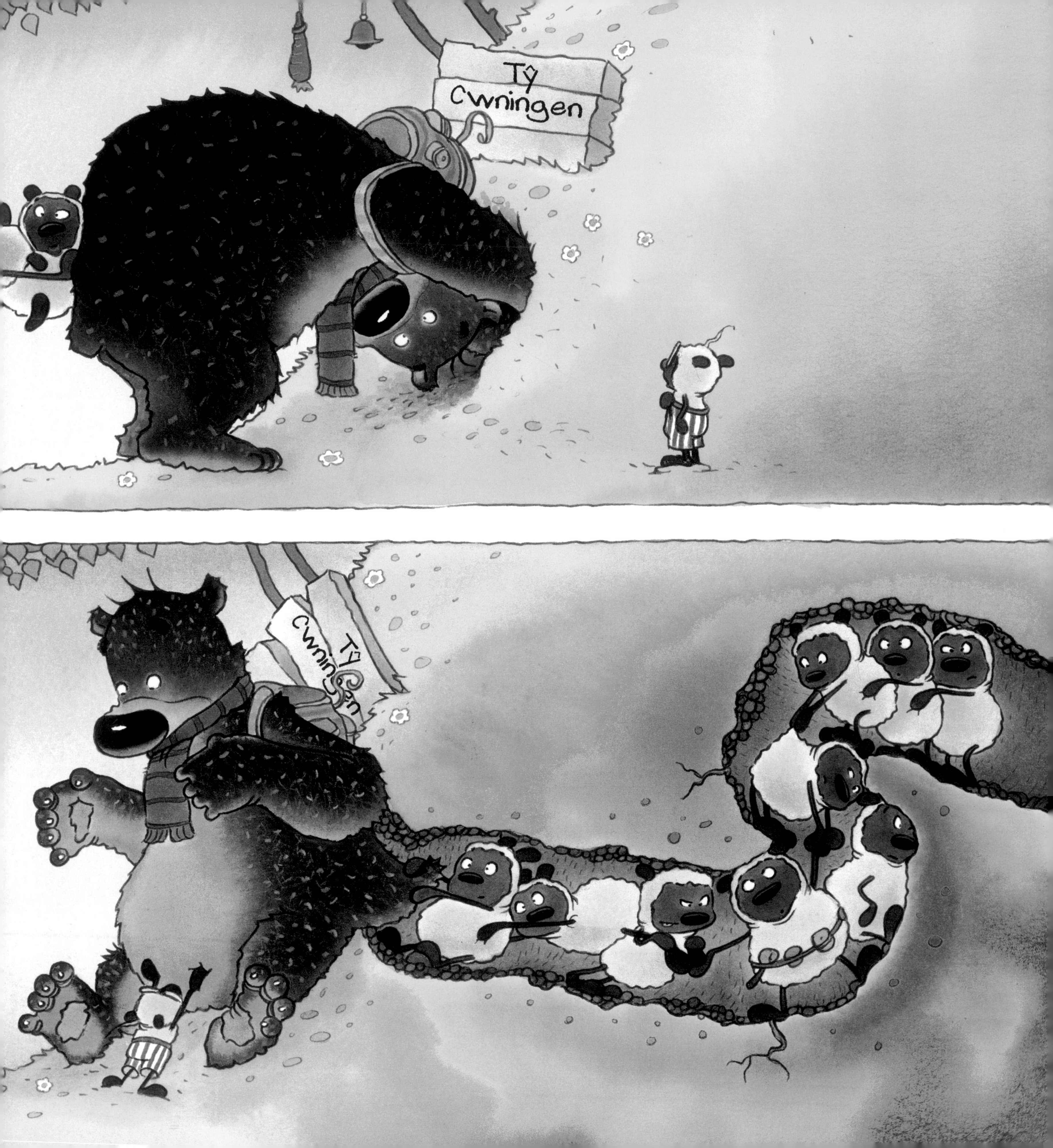
Tŷ
Cwningen
Tŷ
Cwningen

'Dyna ni,' pwffiodd Cwningen. 'Cyfforddus iawn, wir!'
Nid oedd Douglas yn rhy siŵr.

'There now,' puffed Rabbit. 'Isn't that cosy?' Douglas wasn't so sure.

‘Pryd wyt ti’n mynd i ddarllen stori i ni, Cwningen?’ gofynnodd Dafad Fach.
‘Cyn gynted ag y gallaf ddod i mewn i’r twll,’ atebodd Cwningen. ‘Symud draw!’

‘When are you going to read us a bedtime story, Rabbit?’ asked Little Sheep.
‘As soon as I get in,’ Rabbit replied. ‘Budge up!’

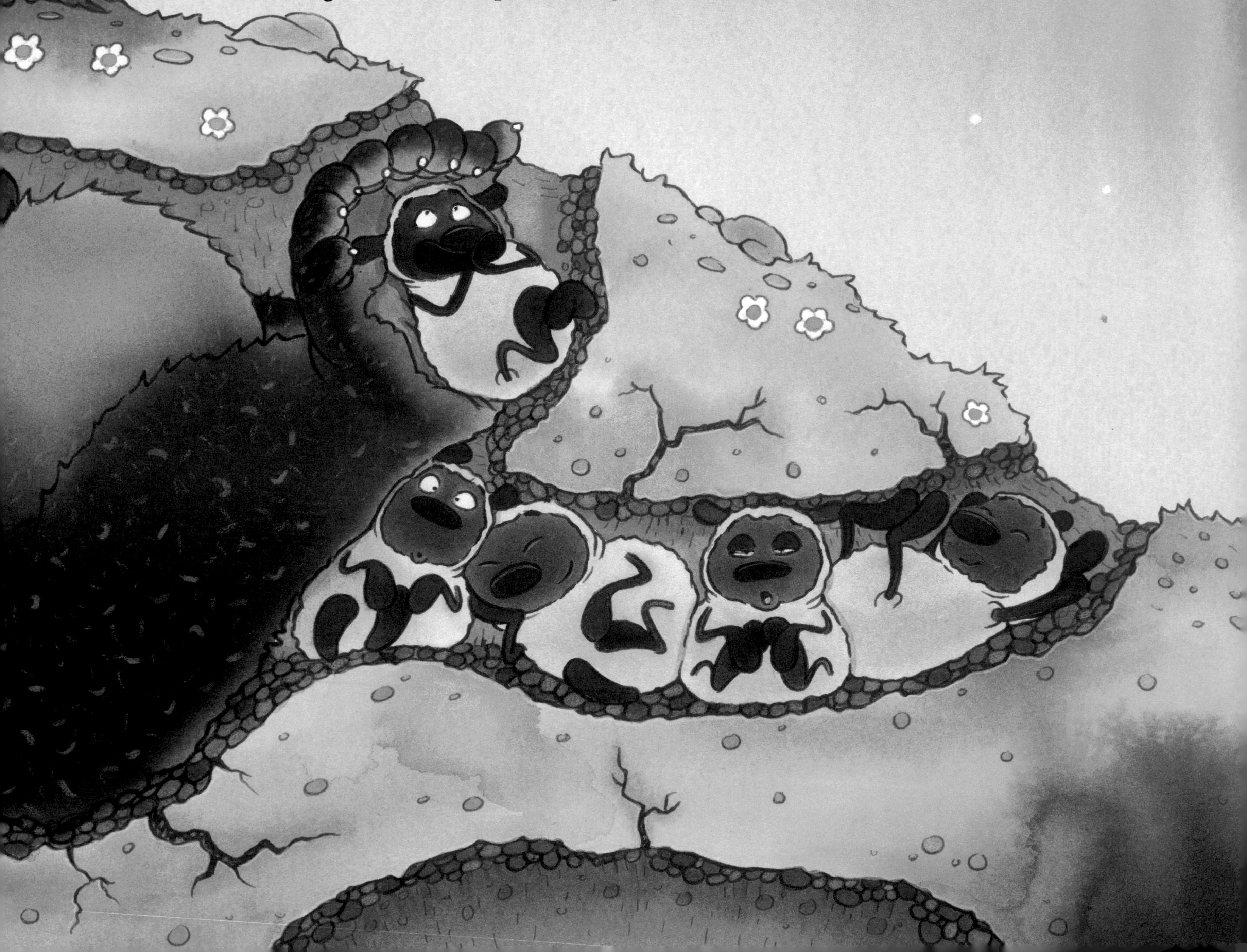

Roedd pawb yn
gwthio ac yn gwthio ... ac yn gwaaaaaasgu.

Everyone shuffled and nudged and squeeeeeezed about.

'Mae tŷ Cwningen yn llawn!'
gwaeddodd Douglas.

'There's no more room at Rabbit's!' cried Douglas.

Rhwbiodd Dafad Fach ei gwlân yn
erbyn trwyn mawr, crwn Douglas.

Little Sheep brushed his tickly fleece against
Douglas' big round nose.

'AA-AA-AT...

Neidiodd y defaid o’r twll fesul un, dwy, tair ...

Out popped the sheep, one … two … three …

pedair, pump, chwech, saith, wyth, naw, deg!

four … five … six … seven … eight … nine … ten!

Roedd yna ddefaid dros y cae ym mhobman.
Casglodd Douglas y defaid at ei gilydd ac edrych o'i gwmpas.

There were sheep all over the place.
Douglas gathered them together and looked around.

'Mae yna ddigon o le fan hyn,' meddai Douglas.

'There's plenty of room out here,' he said.

oooooooo!

Felly swatiodd Douglas a'r defaid i lawr a gwrando ar Cwningen yn darllen stori.

'Un tro,' dechreuodd Cwningen, 'roedd yna barti cysgu cŵl ...' A bob yn un, caeodd pawb eu llygaid a syrthio i gysgu.

So Douglas and the sheep settled down and listened to Rabbit read a story.

'Once upon a time,' Rabbit began, 'there was a big, big sleepover ...'
And, one by one, they all closed their eyes and fell asleep.

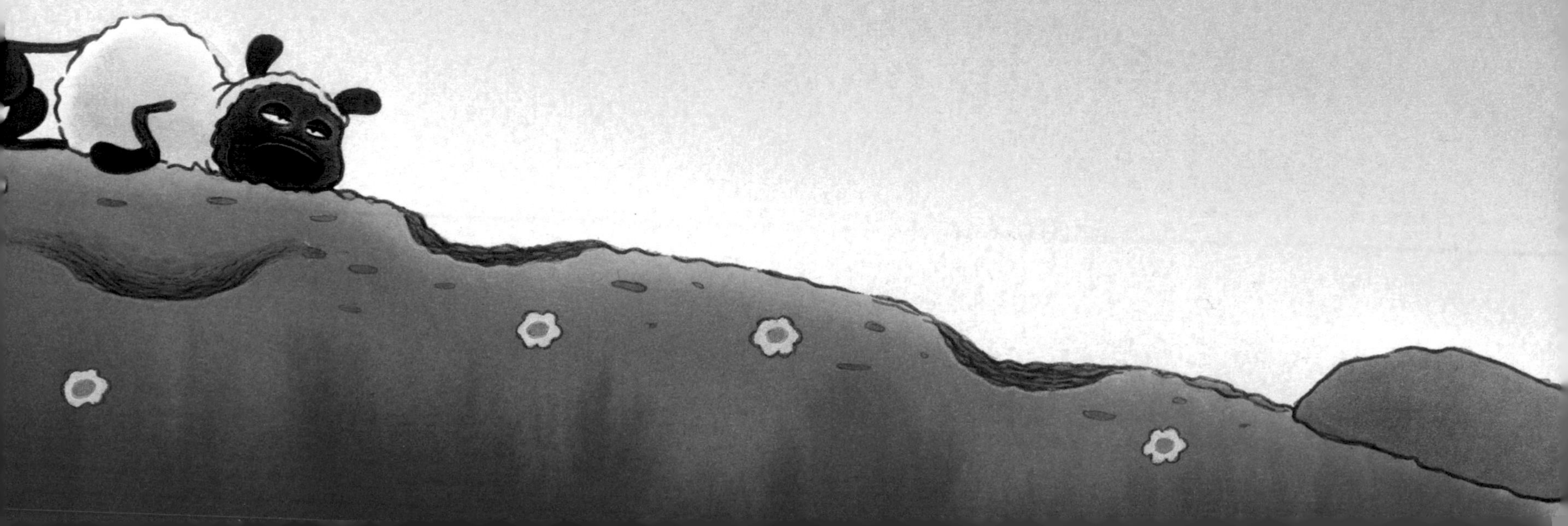

Be fyddet ti'n ei bacio ar gyfer parti cysgu cŵl?

What would you pack for a sleepover?

Sliperi

Slippers

Pethau sy'n goleuo yn y tywyllwch

Glow-in-the-dark gadgets

Pyjamas

Pyjamas

Blanced

Blanket

Llyfr stori

Storybook

Brwsh dannedd

Toothbrush

Sanau gwlân

Woolly socks

Tedi

Teddy

Bwyd canol nos
Midnight snacks
Ffonau clust
Earphones
Tegan meddal
Cuddly toy
Rhywbeth i sugno arno
Comforter
Gŵn nos
Dressing gown
Cloc larwm cerddorol
Musical alarm clock
Ffrind
Friend

Y fersiwn Saesneg

Addasiad o *Hugless Douglas and the Big Sleep* gan David Melling

Cyhoeddwyd gyntaf gan Hodder Children's Books, 338 Euston Road, Llundain NW1 3BH

Mae Hodder Children's Books yn rhan o Hachette Children's Books sy'n rhan o Hachette UK

Y fersiwn Cymraeg

Addaswyd gan Dafydd Saunders Jones

Golygwyd gan Adran Olygyddol Cyngor Llyfrau Cymru

Dyluniwyd gan Owain Hammonds

Cyhoeddwyd gyda chymorth ariannol Cyngor Llyfrau Cymru

Cyhoeddwyd yn y Gymraeg gan Atebol Cyfyngedig, Adeiladau'r Fagwyr,

Llanfihangel Genau'r Glyn, Aberystwyth, Ceredigion SY24 5AQ yn 2014

www.atebol.com